Viens lire avec moi!

Livre 1

Chantal Pepin

Cahier de lecture – 1re partie

Typographie et montage :
Ateliers de typographie Collette Inc.

Conception graphique et illustrations :
Maryse Pepin

Remerciements à :
Solange Choquette-Carrière
Anne-Marie Martinet
Denise Renaud
Enseignantes à la commission des écoles catholiques de Verdun

Ange-Marie Gauthier
Enseignante à la commission scolaire Taillon

© Éditions du Trécarré 1992

Dépôt légal – 2e trimestre 1992
Bibliothèque nationale du Québec

ISBN : 2-89249-364-1

Imprimé au Canada

Éditions du Trécarré
Saint-Laurent (Québec) Canada

Table des matières

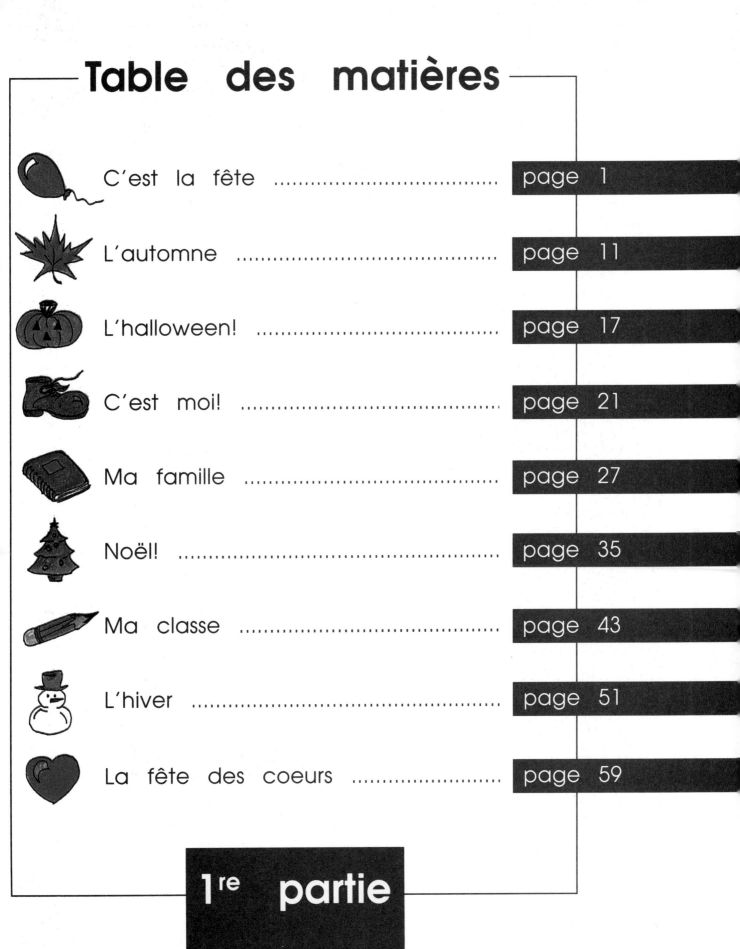
1re partie

Bonjour toi!

Je suis Poum le raton magicien.
J'aime beaucoup les enfants.
C'est pourquoi j'ai décidé de t'inviter
à une fête: la fête des mots.
J'apporterai des ballons et de la musique.
Je te ferai connaître mes amis préférés.
Je serai là tous les jours pour t'aider
à apprendre à lire et à écrire.
Mais attention, mon grand plaisir est
de jouer des tours.
Alors surveille bien ma baguette magique et...
viens lire avec moi!

Poum

Lis les mots dans les ballons.

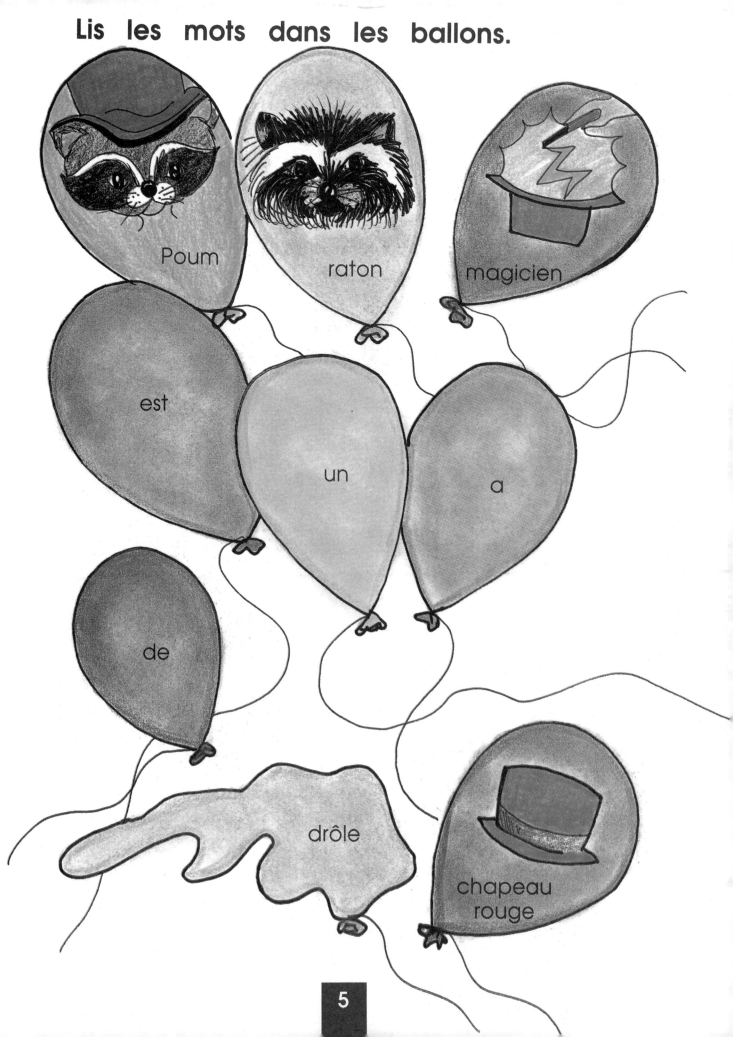

Poum

raton

magicien

est

un

a

de

drôle

chapeau rouge

Poum

Poum est un magicien.
Poum est un raton.
Poum est un raton magicien.

Poum a un chapeau rouge.
Poum a un drôle de chapeau.

Poum est un magicien drôle.
Poum est un raton drôle.
Poum est drôle, drôle, drôle.

La fête

Poum, le raton magicien, fête.
Annie est de la fête.
Éric est de la fête.

Poum apporte des ballons.
Voici un ballon bleu pour Annie.
Voici un ballon rouge pour Éric.
Voici un ballon jaune pour Poum.

Oh! Poum, le raton magicien, danse.
Poum est drôle.
Annie rit.
Éric, son ami, rit.
«Tu es drôle!» dit Annie.

Poum aime Éric et Annie.

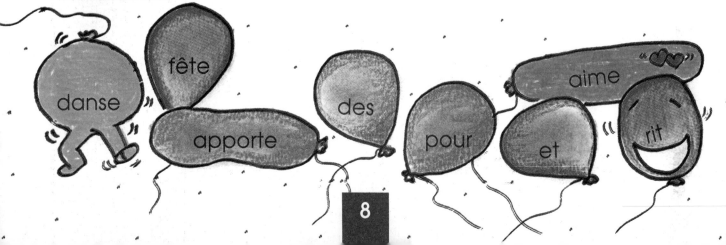

danse   fête   apporte   des   pour   aime   et   rit

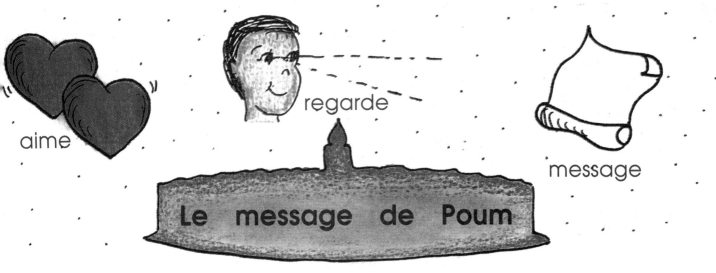

aime

regarde

message

Le message de Poum

«Regarde le ballon bleu» dit Poum.
Poum apporte le ballon bleu pour Annie.
Le ballon bleu a un message.

Poum aime Annie.

«Éric, regarde le ballon rouge!» dit Poum.
Poum apporte le ballon rouge pour Éric.
Le ballon rouge a un message.

Poum aime Éric.

Annie et Éric apportent aussi un message
pour Poum.

Poum tu es notre ami.

Je fais une marionnette.

feuille de couleur

crayons de couleur

ciseaux

paille

colle

1. Dessine Poum sur une feuille.

2. Décore Poum avec tes crayons de couleur.

3. Découpe ton dessin.

4. Colle une paille.

5. Voici ta marionnette Poum.

L'automne

L'automne

1. septembre
2. octobre
3. novembre
4. tombe
5. un arbre
6. la pluie
7. le parapluie
8. Martin
9. joue
10. le manteau
11. le chat Maxou
12. marche
14. a peur
13. une feuille

12

L'automne

C'est l'automne.

Des feuilles rouges et jaunes tombent.

Martin marche avec Poum.

Martin marche dans les feuilles rouges et jaunes.

Maxou le chat marche dans les feuilles rouges et jaunes.

Maxou joue dans les feuilles avec Martin et Poum.

La pluie tombe.

La pluie tombe sur le manteau de Martin.

Le chat a peur de la pluie.

Martin ouvre le parapluie bleu.

Le chat est content.

1. C'est
2. et
3. avec
4. dans
5. sur

Les pommes sont dans le pommier.

La pomme tombe.

La pomme tombe sur la tête de Poum.

Poum a mal à la tête.

Maxou le chat aime les pommes.

Maxou joue avec une pomme rouge.

Un arbre en automne

feuille d'arbre

feuille blanche

ciseaux

colle

crayons de couleur

1. Trace une feuille sur du papier blanc.

2. Découpe ton dessin.

3. Colorie ta feuille aux couleurs de l'automne.

4. Colle ta feuillle sur le gros arbre dessiné dans la classe.

5. Voici notre arbre en automne.

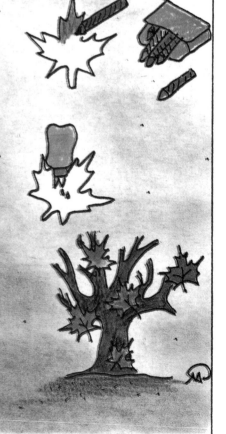

L'halloween

1. le balai

2. le sac de bonbons

3. la citrouille orange

4. le chapeau

5. un fantôme

6. le chat noir

7. un costume de sorcière

L'halloween

C'est l'halloween!
Annie a un costume noir de sorcière.
Éric a un costume de fantôme.

Ah! Ah! C'est Poum!
Poum a un costume de citrouille orange.
Poum ressemble à une grosse citrouille.
Poum ressemble à une citrouille ronde.

Annie rit de Poum.
Éric rit de Poum.
Le chat noir rit de Poum.
Poum n'est pas content.

Poum!
Oh! C'est Poum le magicien!
Annie est un balai.
Éric est un sac de bonbons.
Le chat est bleu.
C'est drôle l'halloween avec Poum!

1. gros 2. grosse 3. rond 4. ronde 5. ressemble

Un jeu pour l'halloween!

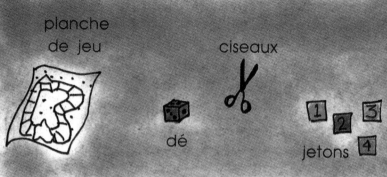

planche
de jeu

ciseaux

dé

jetons

Je t'invite à jouer avec moi au jeu de la sécurité.
Lis bien les règlements pour jouer.

règlements

Nombre de joueurs: 2 ou 3 joueurs

1. Découpe les jetons sur la planche
   de jeu.

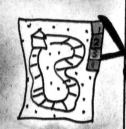

2. Place les jetons sur la case «départ».

3. Lance le dé. Avance du
   nombre de points indiqués.

4. Si tu arrives sur une case verte :
   tu lances le dé à nouveau.

   Si tu arrives sur une case jaune :
   tu lances le dé, et tu recules du
   nombre indiqué.

5. Tu dois obtenir le nombre exact pour gagner.

C'est moi!

Poum

Mon nom est Poum.
Je suis grand.
J'ai de grandes oreilles
et un nez rond.
Ma bouche est drôle.
Je n'ai pas de petits pieds.
J'aime parler avec Annie
et Éric.
J'aime jouer avec le
chat Maxou.
Ah oui! J'aime jouer
des tours.
Maintenant, parle-moi
de toi.

Annie

Mon nom est Annie.
Je suis une fille et
je suis petite.
Mes yeux sont bleus et
mes cheveux sont bruns.
J'aime écouter de la musique.
J'aime les tours de Poum.

Éric

Mon nom est Éric.
Je suis un garçon et je suis petit.
Je suis né dans un autre pays.
Mes yeux et mes cheveux
sont noirs.
J'aime regarder la télévision.
J'aime les grands pieds de Poum.
C'est drôle!

C'est moi!

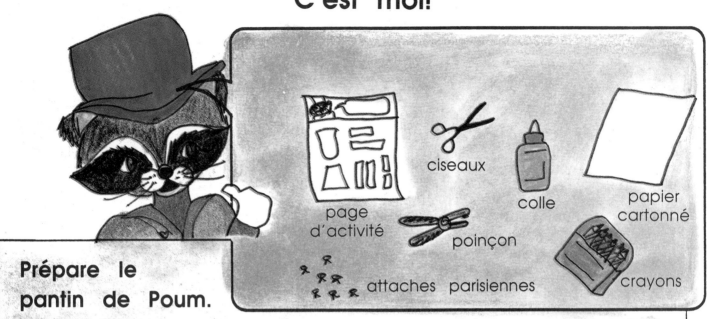

page d'activité · ciseaux · colle · papier cartonné · poinçon · attaches parisiennes · crayons

Prépare le pantin de Poum.

1. Colorie les pièces sur la page du pantin.

2. Découpe chaque pièce.

3. Colle ces pièces sur le papier cartonné.

4. Découpe les pièces que tu as collées.

5. Perce des trous aux bons endroits sur les pièces.

6. Attache les pièces et forme un pantin. C'est Poum!

Je suis Annie.
Voici ma famille.

maman
ma mère

mes soeurs Mélanie
et Stéphanie

ma grand-mère
et mon grand-père

mon chat Maxou

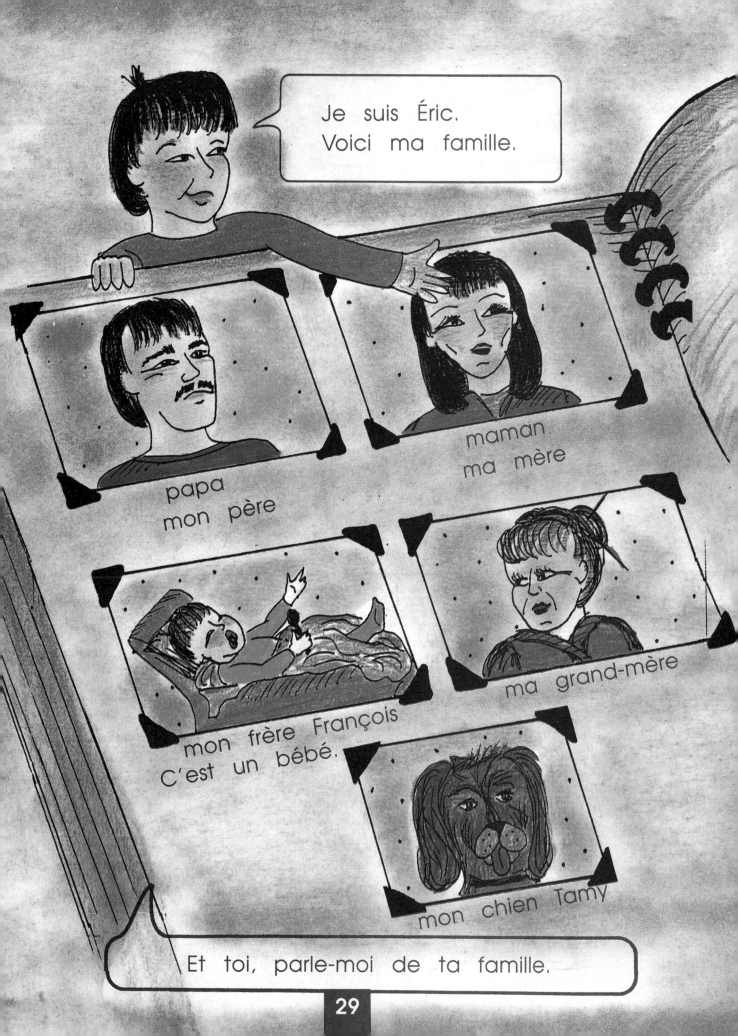

Voici la maison d'Annie.

La maison d'Annie est un immeuble à appartements.

L'appartement d'Annie est au premier étage.

La maison d'Annie a des portes et des fenêtres.

Elle a une cheminée sur le toit.

As-tu une maison qui ressemble à celle d'Annie?

Annie n'a pas de cour pour y jouer.

Éric a une petite maison.

La maison d'Éric a une porte et des fenêtres. Elle a un toit avec une cheminée.

Éric a une grande cour autour de sa maison. Il joue dans la cour avec ses amis et amies.

Voici la maison d'Éric.

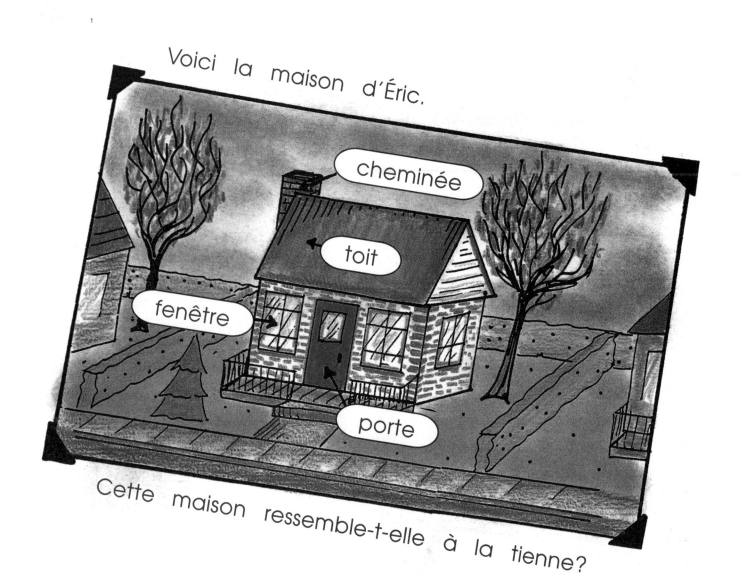

cheminée

toit

fenêtre

porte

Cette maison ressemble-t-elle à la tienne?

Toc! Toc! C'est moi!

Voici la maison de Poum. C'est un grand chapeau. La maison a une porte et des fenêtres. Elle a aussi un drôle de toit et une cheminée.

Poum joue dans la maison avec Éric et son frère François.

Toc! Toc! C'est Annie qui arrive. Elle est avec sa soeur Stéphanie et son chat Maxou. «Bonjour Poum!» dit Annie. Elle aime la grande maison de Poum.

Poum est content. Il rit. Il apporte de grosses pommes rouges.

«DRING!» C'est la maman d'Éric et de François. Ils retournent à la maison.

Bonjour les amis et les amies! Merci Poum!

son ses   grand   grande il il   Elle elle   aussi

32

crayon

1. Observe la page qui représente un arbre généalogique.

2. Un arbre généalogique représente les membres de la famille.

3. Effectue une petite recherche auprès de tes parents afin de trouver les noms des membres de ta famille.

4. Inscris ton nom dans la case qui te représente. Colle ou dessine ton portrait.

5. Inscris les noms de tes grands-parents, de tes parents, de tes frères et de tes sœurs dans les cases appropriées.

6. Compare ton arbre avec celui de tes amis et amies.

Noël

Une lettre du Père Noël

Pôle Nord
décembre

Bonjour mon ami
Bonjour mon amie

Noël arrivera très bientôt.
Je suis content de t'écrire.
J'espère que tu as été sage,
Écris-moi pour me dire quels
cadeaux tu désires pour Noël.
Mes lutins attendent ta lettre.

Le père Noël
xxx

Voici mon adresse: Père Noël
Pôle Nord
HOH OHO

C'est Noël!

1. l'étoile
2. le sapin
3. une guirlande
4. un jouet
5. une boule
6. des cadeaux
7. le renne
8. le père Noël
9. le traîneau
10. la cloche
11. une chandelle
12. le lutin

Une drôle de guirlande

1 C'est Noël!
Annie décore le
beau sapin vert.

2 Elle pose des boules
rouges et bleues.
Elle met une belle
étoile jaune.
Elle met aussi une
grande guirlande bleue.

3

Oh! La guirlande
bleue tombe.

4

Ah! La grande
guirlande bleue
marche.

5

Oh! J'ai peur de cette guirlande.

6 Sous la guirlande un petit lutin vert rit.

7

C'est Poum devenu un lutin!

8 Il apporte un message de la mère Noël. C'est un message dans un coeur.

Joyeux Noël!

Je suis comédien   Je suis comédienne

texte «Une drôle de guirlande»

guirlande bleue

boules rouges

boules bleues

étoile

tuque

un message de Noël

JOYEUX NOËL

1. Choisis parmi cette liste un rôle que tu aimerais jouer.

le sapin   le lutin   Annie   un des deux narrateurs

2. Lis bien le texte «Une drôle de guirlande». Porte une attention particulière au personnage que tu as choisi.

3. Avec l'aide de ton enseignant ou ton enseignante et de tes amis et amies, organise une petite saynète dans laquelle tu pourras représenter le personnage que tu as choisi.

4. <u>Sois un bon comédien ou une bonne comédienne</u>.

Si tu as choisi le rôle de:

<u>Annie</u>: Tu dois apprendre ce qu'elle dit par coeur.

<u>le lutin</u>: Pratique-toi à prendre un air taquin et à tirer doucement la guirlande.

<u>le sapin</u>: Essaie de prendre une posture qui donnera à tes bras la forme de branches.

5. <u>Sois un bon narrateur ou une bonne narratrice</u>.

Si tu as choisi de lire, pratique-toi à le faire lentement et à bien prononcer les mots. Observe bien les acteurs et laisse le temps à Annie de dire son texte.

6. Comme il n'y a que 5 rôles, il se peut que tu ne puisses pas jouer ton rôle dans la première saynète. Ton tour viendra. Sois un bon spectateur ou une bonne spectatrice.

7. Fais avec tes amis et amies une petite présentation devant la classe.

Le petit renne triste

Écoute la cloche. C'est le traîneau du père Noël.

Écoute la cloche. C'est le renne du père Noël.

Le petit renne a un nez rouge.
Il est triste. Il n'aime pas son nez rouge.

À Noël, le père Noël lui donne un cadeau. Il est décoré avec une couronne et une grande étoile.

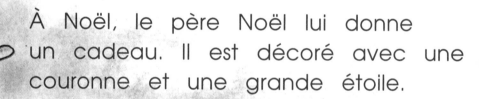

Le petit renne ouvre son cadeau. Est-ce que le petit renne a reçu un jouet?

Non. Le petit renne a reçu un nez bleu.

Ma classe

Ma classe

Bonjour! Je vous présente les amis et amies de ma classe. Voici Seong-Kook, Mariève, Martin, Émilie, Simon et Vanessa.

1. un pupitre
2. une table
3. un crayon
4. le tableau
5. l'enseignante
6. l'ordinateur
7. la règle
8. le livre
9. dessine
10. lit
11. écrit
12. une gomme à effacer
13. l'école
14. le garçon
15. la fille
16. mon sac d'école

45

Un ami

Éric va à l'école avec son amie Annie.
Il a caché Maxou dans son sac d'école.
Dans la classe, Éric met le chat dans
son pupitre.

Seong-Kook et Émilie ont vu le chat.
Mariève dessine Maxou sur une feuille.
Oh! Le chat ouvre le pupitre.
Il marche sur le beau dessin de Mariève.
Il marche sur le livre de l'enseignante.

L'enseignante regarde Maxou.
Elle regarde Éric.
Éric a un peu peur.
L'enseignante rit.
Éric rit aussi.
Toute la classe rit.

Le chat est devenu un élève de
la classe.
Émilie et Simon ont nommé Maxou,
l'élève de la semaine.

Le petit journal

École Les Petits Amis   10 janvier

Voici le message
d'un ami. Bonjour
les amis et amies.
Je suis un élève de
la classe de Mona.
Dans ma classe je
lis des livres et
j'écris des messages.
Vive l'école
Les Petits Amis.
          Daniel
          1re année

Poum le magicien a
joué un tour à Éric.
Il a caché son
beau crayon jaune
dans son manteau.
Éric est triste. Il a
reçu le crayon à
Noël. Poum lui a
redonné son crayon
et Éric a ri.
     Annie
     première année

J'écris un article de journal.

page
d'activité

crayon

gomme
à effacer

crayons
de
couleurs

1. Tu es un journaliste. Tu dois écrire un article de journal pour l'école.
Pense à un événement qui pourrait se passer à l'école.
Tu peux choisir quelque chose qui est arrivé dans la classe, dans l'école ou dans la cour. Tu as le droit de l'inventer.

2. Quand tu auras trouvé ton idée, écris ton article sur la page prévue à cet effet. Sers-toi de ton livre ou de ton dictionnaire.

3. Dessine dans le cadre. Ce sera la photo qui accompagnera ton article.

4. Ensuite, joins ton article à celui des autres. Les textes corrigés seront publiés dans le journal de classe.

L'hiver

L'hiver

1. décembre
2. janvier
3. février
4. le flocon
5. la neige
6. Il glisse en traîneau.
7. glisse
8. traîneau
9. le foulard
10. la mitaine
11. des raquettes
12. une patinoire
13. patine
14. le hockey

52

15. blanc

16. blanche

17. du ski

18. Il fait du ski.

19. vent

20. sa tuque

21. le manteau

22. le pantalon

23. le bonhomme de neige

24. des bottes

25. la glace

26. son patin

Le fantôme de l'hiver

C'est l'hiver.
Le ciel est blanc de neige.
Éric glisse. Il a un grand traîneau rouge.
Poum joue au hockey avec Martin.
C'est drôle! Ils rient.

Annie, Stéphanie et Mélanie jouent
dans la neige.
Elles ont décoré un beau bonhomme
de neige. Il a une tuque, un foulard
et des mitaines.
Annie lui dessine de grands yeux,
une bouche et un nez rond.
C'est un gros bonhomme de neige.

Ah! Le vent se lève et de
petits flocons tombent.
Il neige de plus en plus fort.
«C'est une tempête!» crie Martin.
«Oui! À la maison!» crie Annie.

«La tempête est comme un grand fantôme blanc» pense Éric.
Éric, Martin, Annie et Poum ouvrent la porte de la maison.
«Maman! Maman! dit Éric.
J'ai vu le fantôme de l'hiver!»

Grand-père raconte...

C'est le soir. Annie a invité ses amis
et amies à la maison. Simon est là aussi.
Il a beaucoup de peine.
Ce matin il a voulu patiner et
n'a pas réussi.
Grand-père va raconter une histoire.
Les enfants sont contents.

«Un jour,» dit grand-père, j'ai reçu
des patins pour Noël. J'étais très heureux.
J'ai enfilé mes patins et je suis allé
à la patinoire avec ma mère.»

«J'arrive sur la glace et c'est la catastrophe!
Eh oui! Je ne sais pas patiner.
J'avais pensé que c'était facile!
Je me relève les yeux remplis de larmes.
Mes amis rient de moi. Je ne veux
plus patiner.»

Ma mère me dit: «Ne pleure pas
et retourne sur la patinoire.
Tu apprendras à patiner.»

«Elle a été très gentille. Elle m'a
appris à patiner.
Plus tard, je suis devenu un
bon joueur de hockey.»

Simon a aimé l'histoire de grand-père.
Il a dit: «Moi aussi je veux patiner
et devenir un joueur de hockey!»
Simon est consolé. Annie est heureuse.
Les enfants sont contents de connaître
l'histoire de grand-père.

Des flocons de neige

papier de couleur

ciseaux

colle

papier transparent de couleur

1. Plie une feuille de papier carrée de la façon suivante:

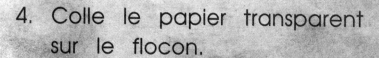

2. Découpe-la de manière à former un flocon.

3. Découpe un morceau de papier transparent.

4. Colle le papier transparent sur le flocon.

5. Pose ton flocon sur une vitre de la fenêtre.

La fête
des coeurs

La fête des coeurs

1. Je t'aime.

2. heureux

3. amoureux

4. l'amour

5. chante

6. danse

7. rose

8. la carte

9. un coeur

10. le coeur en chocolat

11. l'amitié

60

Je fête la Saint-Valentin

J'aime la Saint-Valentin.

C'est la fête de l'amour.

C'est la fête de l'amitié.

En ce jour on peut donner
un coeur en chocolat,
on peut donner des roses,
on peut se dire «Je t'aime».

On est heureux. On chante
et on danse.

Vive la Saint-Valentin!

Voici des messages d'amitié!

Je t'aime.

Je t'aime gros comme...

Mon coeur est rempli d'amour.

Tu es mon ami.

Tu es mon amie.

Je te donne un petit bec.

Je te fais une caresse.

Je t'aime de tout mon coeur.

Je vous aime beaucoup.

Une carte pour la Saint-Valentin

rose

rouge

blanche

feuilles de couleur

page d'activité

colle

crayon

ciseaux

1. Dessine un gros coeur sur une feuille de papier rouge.

2. Découpe ton coeur.

3. Plie une feuille de papier rose en deux parties.

4. Colle ton coeur rouge sur la carte rose.

5. Dessine et découpe des petits coeurs blancs.

6. Décore ta carte avec les coeurs blancs.

7. Écris un message d'amitié sur le coeur de la page d'activité. Colle-le dans ta carte. Donne la carte à un ami ou une amie.